KB075960

SO, HWATU

발 행 | 2024년 2월 22일
저 자 | 에스텔 소
펴낸이 | 한건희
펴낸곳 | 주식회사 부크크
출판사등록 | 2014.07.15.(제2014-16호)
주 소 | 서울특별시 금천구 가산디지털1로 119 SK트윈타워 A동 305호
전 화 | 1670-8316
이메일 | info@bookk.co.kr

ISBN | 979-11-410-7329-9

SO, HWATU

에스텔 소 Estelle SO 지음

화투, 새로운 시선으로 만나다

화투는 일본에서 유래했으나 한국에서 독특한 매력을 발산하며 오랫동안 사랑받는 놀이로 자리 잡았습니다. 화려한 그림과 독특한 규칙, 다양한 놀이 방식은 한국인의 삶과 함께하며 역사를 쌓아왔습니다. 화투는 단순한 카드놀이를 넘어 한국 생활 문화의 다채로운 모습을 보여주는 하나의 매개체라 할 수 있습니다.

"So, Hwatu"는 이러한 화투의 매력을 현대적인 감각으로 재해석하여 한국인에게 친숙한 화투 이미지를 기반으로 제작된 작품입니다. 한국의 화투 디자인을 기반으로 명확한 시각적 구분과 가독성을 높여 누구나 쉽게 화투의 세계를 즐길 수 있도록 했습니다.

이 책에서는 화투를 처음 접하는 분들을 위해 화투에 대한 기본적인 설명부터 게임 방법, 점수 계산법까지 자세하게 안내합니다. 또한, 화투로 운세를 보는 재미있는 방법을 소개하여 더욱 흥미로운 경험을 선사하고, 화투 속에 담긴 문화와 예술적 가치를 함께 즐길 수 있는 기회를 제공합니다.

"So, Hwatu"는 오랜 시간 사랑받아 온 화투에 새로운 시각을 제시하며, 한국 문화의 아름다움을 더욱 넓은 대중에게 알리고자 합니다.

"So, Hwatu"와 재미있는 화투의 세계를 함께 열어 나가기를 기대해봅니다.

목차

마치며

제1장

화
투

화투(花鬪)는 한국에서 인기 있는 카드놀이 중 하나이다. 12개의 달을 나타내는 12종류의 카드가 4장씩 묶여 총 48장으로 이루어져 있다. '꽃싸움'이라는 뜻을 가진 화투는 각 패에 꽃이나 식물 그림이 주를 이루며, 상대방과 겨루는 놀이라는 점에서 '꽃으로 싸운다'라는 의미를 담고 있다.

　화투는 포르투갈의 카드가 일본으로 전해져 '하나후다(花札)'라는 이름으로 변형되었고, 19세기경에 한국으로 전해졌다고 알려져 있다. 정확한 전파 경로와 이름 변화는 아직 밝혀지지 않았지만, 16세기 후반 포르투갈 상인들이 일본으로 가져온 '카르타(carta)' 놀이가 변형되어 한국에 전해졌을 것으로 추정된다. 일본에서 시작된 이 카드 덱은 한국으로 전해지면서 약간 변형되었으며, 오늘날의 화투는 가족과 친구들이 함께 즐기는 대표적인 놀이로, 다양한 변형 게임과 온라인 플랫폼의 등장으로 더욱 발전하고 있다.

　최근 한국 영화와 드라마를 통해 화투는 한국의 놀이로서 전세계인에게 소개되고 있으며, 이는 한국의 생활 문화에 대한 관심을 높이게 될 것으로 기대된다.

제2장

화
투
패

화투패는 총 48장으로 구성되어 있다.

이 48장의 패는 1월부터 12월까지의 달을 나타내며, 달마다 4장의 패가 있다. 11월과 12월을 제외하고, 대부분의 패에는 해당하는 달을 상징하는 식물이 배경으로 그려져 있다.

화투패 중 1, 3, 8, 11, 12월에는 "광"이라고 하는 패가 존재하며, "열끗" 또는 "멍텅구리"라고 불리는 동물이나 식물이 그려진 패도 있다. 또한, 일부 달에는 빨간 또는 파란 띠가 그려진 "띠"라고 하는 패도 있다. 그 외에는 배경만 그려진 "피"로 채워져 있다.

한국의 화투패에는 몇 가지 특징이 있다. 한국 화투의 광에는 빨간 동그라미 안에 한문으로 빛을 나타내는 "光(광)"이라는 글씨가 적혀 있다.

또한 일반적인 피와는 달리 점수가 없는 홑껍데기 카드인 "피" 중에서도 특별한 카드들이 있다. 이러한 특별한 카드들을 "쌍피"라고 부르며, 화투 게임의 종류에 따라 일반 피와 다르게 취급하기도 한다.

게임의 다양성을 높이기 위해 한국의 화투에는 종종 피 2장짜리 쌍피, 피 3장짜리 삼피 등의 조커 패나 보너스 패가 함께 포함되어 있어 게임 규칙을 다양하게 만들 수 있다.

화투패의 종류와 특징, 그리고 민화투, 고스톱 게임에서의 가치 및 점수계산법을 설명한다.

광

광은 화투패 중 하나로, 빨간 동그라미 안에 '광'이라는 글자가 있는 패이다. 1, 3, 8, 11, 12월에 있는 패로, 총 5장이 있다.

광의 특징

- 광 패는 화투패 중에서 귀한 패로, 민화투와 고스톱에서 특별한 가치를 가지고 있다.

- 광 패는 빨간 동그라미 안에 '광'이라는 글자로 식별된다.
- 광 패는 민화투에서는 장당 20점이며, 고스톱에서는 특별한 규칙에 따라 가치가 결정된다.

민화투와 고스톱에서의 광 패 가치

① 민화투에서 광 패 1장은 장당 20점으로 계산된다.

② 고스톱에서 광 패의 가치는 다음과 같이 결정된다.

- 광 3개가 모이면 3광으로 인정되며, 3점이 주어진다.
- 단, 12월의 '비'광이 함께 들어가면 '비삼광'이라 불리며, 2점으로 계산된다.
- 광 4개를 모으면 '비'광의 여부와 상관없이 4점으로 인정된다.
- 광 5개가 모이면 '오광'으로 인정되어 15점으로 계산된다.

열끗

열끗은 다양한 동물이나 사물이 그려진 화투패 중 하나이다. 열끗 패는 2, 4, 5, 6, 7, 8, 9, 10, 12월에 해당하는 9장의 화투패로 구성되어 있다.

열끗의 특징

- 열끗 패는 각각 다른 그림이 그려져 있으며, 다양한 동물이나 사물을 그린 화투패이다.
- 열끗 패는 민화투에서는 장당 10점의 가치를 가지고 있으며, 고스톱에서는 특별한 규칙에 따라 다른 가치를 가진다.

① 민화투에서 열끗 패 1장이 장당 10점으로 채점된다.

② 고스톱에서 열끗 패의 가치는 다음과 같이 결정된다.

- 열끗 5장을 모으면 1점이 주어지며, 추가로 열끗 패를 모을수록 1점씩 상승한다.

- 5장 모으면 1점, 6장 모으면 2점, 7장 모으면 3점으로 계산되며, 7장 이상을 모아 이기면 상대방은 '멍박'이 되어 점수가 2배가 된다.

- 특별한 열끗 패인 '고도리'(2월, 4월, 8월에 새가 그려진 패 3장을 모은 것)는 5점으로 계산된다.

- 12월에 그려진 열끗의 새는 고도리로 계산되지 않고, 다른 열끗 패와 동일하게 처리된다.

- 게임 시작 전 규칙에 따라 9월의 술잔이 그려진 열끗이 쌍피로 쓰일 수도 있다.

띠

띠는 화투패의 일종으로, 띠 패에는 홍단, 청단, 초단 세 가지 종류가 있으며, 띠 패는 8월과 11월을 제외한 나머지 월에 한 장씩 모두 10장이 존재한다.

띠의 특징

- 띠 패는 화투패 중에서 띠가 그려져 있다.
- 홍단, 청단, 초단 세 가지 종류가 있다.
- 홍단은 1, 2, 3월에 있는 띠로 빨간색 띠가 있고 '홍단'이라는 글씨가 적혀있다.

- 청단은 6, 9, 10월에 등장하는 파란색 띠를 나타내며 '청단'이라는 글씨가 적혀있다.

- 초단은 4, 5, 7월에 그려진 패로 아무런 글자 없이 빨간 띠만 있는 띠이다.

- 12월에 있는 띠는 생김새가 초단과 같지만, 초단이 아니라 여기에 포함 되지 않는다.

민화투와 고스톱에서의 띠 패 가치

① 민화투에서 띠 패는 장당 5점의 가치를 갖는다.

② 고스톱에서 띠(단) 패의 가치는 다음과 같이 결정된다.

- 색이나 글자에 상관없이 띠를 다섯 장 모으면 1점이고, 추가 1장마다 1점 씩 더 받는다.

- 홍단, 청단, 초단 같은 동일한 종류의 띠를 세 장씩 모으면 3점을 획득한 다.

- 그러나 12월에 그려진 띠는 다른 월과는 다르게 초단이 되지 않고 '띠' 로만 계산된다. 즉, 4월, 5월, 7월의 초단이 있어야만 3점이 난다. 예를 들 어 5월, 7월, 12월이 있다면 12월은 초단으로 계산되지 않아 3점을 얻을 수 없다.

피

피는 화투패 중 하나로, 껍데기를 뜻하는 용어이다.

총 22장의 피가 있으며, 12월을 제외한 나머지 달마다 2장의 피가 포함된다.

피의 특징

- 피는 12월을 제외하고 달마다 2장이 있기 때문에 총 22장이다.
- '피'라는 패는 주로 고스톱 게임에서 다른 패들과의 조합 및 점수 계산에 사용되며, 고스톱 게임의 전략과 승리에 영향을 준다.

민화투와 고스톱에서의 피 패 가치

① 민화투에서 피 패는 점수에 포함되지 않기 때문에 가치가 없다.

② 고스톱에서 피 패는 다음과 같은 가치를 가진다:

- 피 10장을 모으면 1점이 되며, 그 이후 한 장씩 추가할 때마다 1점씩 증

가한다.

- 피 패는 점수를 누적시키기 위한 요소로 사용되며, 게임 진행 중 피 패를 모으는 것이 승리에 도움이 된다.

쌍피

쌍피는 고스톱 게임에서 특별한 점수로 계산되는 독특한 패로, 2장이 있으며 11월과 12월에 등장한다.

쌍피의 특징

- 쌍피 패는 11월과 12월에 등장한다.
- 또한, 9월에 등장하는 붉은 잔이 나오는 열끗 역시 종종 쌍피로 취급된다.
- 그러나 쌍피로 계산할지 여부는 고스톱 게임 시작 전에 규칙을 확정해야 한다.

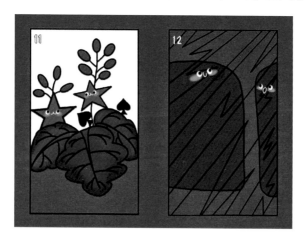

① 민화투에서 쌍피 패는 점수에 포함되지 않으므로 가치가 없다.

② 고스톱에서 쌍피 패는 다음과 같은 가치가 있다.

- 고스톱 게임에서 쌍피 패는 일반적으로 2점으로 평가된다.
- 그러나 계산 방식은 고스톱 규칙에 따라 다양하게 변할 수 있다.
- 쌍피 패는 고스톱 게임에서 중요한 역할을 하므로, 게임 룰을 결정할 때 주요한 고려 사항 중 하나이다.

조커(보너스)

조커(보너스) 패는 본래의 화투에는 없는 패로, 화투패를 한두 개 잃어버린 경우 대신 사용하기 위해 제작되었다. 고스톱 게임이 발전하면서 쌍피에 따라 점수 변화가 많아졌기 때문에 점수를 키우기 위해 조커(보너스) 패가 사용되기 시작했다. 이 패를 사용하여 다양한 규칙을 만들 수 있었기 때문에 현재는 고스톱 게임에서 특별한 점수로 계산되는 패로 함께 사용된다.

조커(보너스) 패의 특징

- 조커(보너스) 패는 고스톱 게임에서 보너스 점수를 얻는 역할을 한다.
- 이들은 게임의 점수 계산 및 전략에 영향을 미치는 중요한 구성요소이다.
- 조커(보너스) 패의 활용은 게임 참가자들 간의 합의에 따라 다양하게 변

할 수 있다. 따라서 고스톱 게임 시작 전에 이 패의 사용 방법 및 규칙을 정하는 것이 중요하다. 조커(보너스) 패는 고스톱 게임에서 민첩한 전략과 높은 점수 획득을 돕는 도구로 활용된다.

민화투와 고스톱에서의 조커(보너스) 패 가치

① 민화투에서 조커(보너스) 패는 사용하지 않는다.

② 고스톱에서 조커(보너스) 패는 게임 시작 전의 규칙에 따라 다를 수 있지만, 피, 쌍피, 혹은 3점을 주는 피로도 사용할 수 있다.

제3장

명칭과 구성
월별 화투의

1월 (송학)

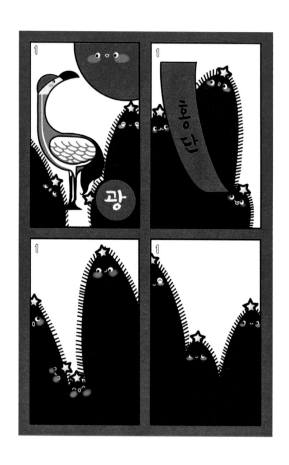

특징

1월을 상징하는 패로 소나무가 그려져 있다. 1월을 나타내는 패에 나오는 광이라 흔히 '일광'이라 부르며, 광에는 학(두루미)과 태양이 소나무와 함께 그려져 있다. 띠로 홍단이 있고 피가 2장 있다.

의미

1월 패에 사용된 소나무는 겨울에도 푸르게 자라는 나무로, 지조와 절개를 상징한다. 소나무는 십장생 중 하나로 알려져 있으며, 겨울에도 푸른색을 잃지 않기 때문에 지조와 절개, 불로장생을 상징하며 사랑받는 나무이다. 학(두루미)도 십장생 중 하나로 장수와 학식, 인품 있는 선비를 상징한다. 소나무의 뜻인 '송(松)'자와 두루미의 '학(鶴)'자를 사용하여 "송학"이라는 용어로 불린다.

화투 점에서의 의미

송학 패가 나오면 새로운 소식, 임신이나 출산 등의 아기 소식, 혹은 새로운 가족이 들어오는 소식, 학문 등의 축하할 일이 생길 거라 해석된다. 또한, 번영과 무병장수를 의미한다고도 알려져 있다.

So, Hwatu . 2023
©Estelle SO

2월 (매화, 매조)

특징

2월을 상징하는 화투패에는 매화가 그려져 있다. 열끗에는 동박새가 등장하고 하늘에는 구름이 표현되어 있다. 띠 부분에는 홍단이 있으며, 피가 2장 포함되어 있다.

의미

매화는 겨울에 피는 꽃으로, 봄의 시작과 희망을 상징한다. 이 꽃은 불의에 굴하지 않는 선비 정신의 상징으로 여겨지며, 또한 사랑을 상징하는 꽃 중에서도 특히 높은 의미를 지니고 있다. 매화는 문학과 미술에서 널리 활용되는 소재 중 하나로, 그림과 시에도 자주 나타난다.

화투 점에서의 의미

2월 화투패가 등장하면 사랑, 초봄, 이성, 새로운 인연, 그리고 즐거운 만남과 연애 운을 의미하거나 이와 관련된 소식을 나타낸다고 해석된다.

So, Hwatu . 2023
©Estelle SO

So, Hwatu . 2023
©Estelle SO

3월 (벚꽃)

특징

3월을 상징하는 화투패에는 벚꽃이 그려져 있다. 광 패는 '삼광'이라고 불리는데 벚꽃과 장막이 그려져 있고, 띠 부분에는 홍단이 있으며, 피가 2장 들어 있다.

의미

벚꽃은 봄의 시작과 희망을 상징하며, 동양에서는 부와 번영, 행운, 연인의 아름다움을 상징하는 꽃으로 여겨진다.

화투 점에서의 의미

3월 화투패가 나오면 여가, 여행, 만남, 소풍, 데이트, 산책, 외출, 혹은 현재의 위치에서 조금 더 멀리 나갈 기회를 의미하며, 이와 연관된 긍정적인 소식으로 해석된다.

So, Hwatu . 2023
©Estelle SO

So, Hwatu . 2023
ⒸEstelle SO

So, Hwatu . 2023
©Estelle SO

4월 (흑싸리, 등나무, 등꽃)

특징

4월을 상징하는 화투패로 흑싸리라고 불리지만, 실제로는 등나무이다. 열끗 부분에는 두견새가 그려져 있으며, 새 뒤에는 붉은 초승달 (혹은 그믐달)이 보인다. 띠에는 글씨가 없는 빨간 초단이 나온다. 피는 2장이다.

의미

한국인들은 이 화투패를 흑싸리라고 부르며, 이에 따라 가지를 아래에서 위로 향하게 두는 경향이 있다. 하지만 원래는 등나무이기 때문에 등나무의 잎과 꽃이 위에서 아래로 늘어진 모습이 정석이다.

등나무에 관련된 전설에는 신라시대에 자매가 한 화랑을 함께 짝사랑하게 되어 갈등을 겪었다는 이야기가 있다. 이로 인해 화투패의 의미에는 환영과 같은 뜻뿐만 아니라 사랑에 취한다는 의미도 있을 수 있다. 등나무꽃은 연한 자줏빛으로 피는 편이며, 등나무 줄기는 다른 나무를 타고 올라가는 특징이 있어 갈등의 어원이 이런 속성에서 비롯된다고도 말한다.

화투 점에서의 의미

이 패가 나오면 데이트와 같은 좋은 뜻도 있고 장난, 구설수, 다툼, 말싸움과 같은 갈등을 나타내기도 한다.

So, Hwatu . 2023
©Estelle SO

So, Hwatu . 2023
©Estelle SO

5월 (붓꽃, 창포, 난초)

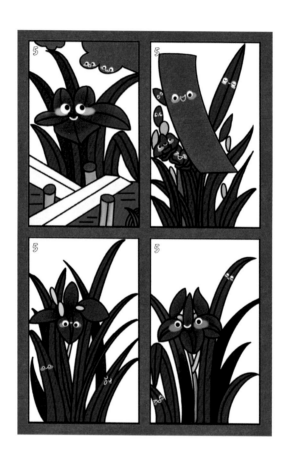

특징

5월을 상징하는 화투패로 난초라고 불리기도 하지만, 실제로는 창포 혹은 붓꽃이다. 열끗 부분에는 붓꽃 이외에도 나무다리와 구름이 그려져 있으며, 띠 부분에는 붉은 초단이 있다. 피는 2장이다.

의미

붓꽃은 꽃봉오리가 먹을 머금은 붓과 같다고 해서 붓꽃이라 한다. 잎이 난처럼 길기 때문에 한국의 화투패에서는 흔히 난초라고 불린다. 붓꽃의 꽃은 푸른 빛이 도는 보라색이며, 붓꽃의 꽃말은 비 온 뒤 보는 무지개처럼 기쁜 소식이나 신비로운 사람을 의미한다.

화투 점에서의 의미

이 화투패가 나오면 음식, 국수, 잔치, 외식, 음식과 관련된 일, 혹은 사람을 만난다는 긍정적인 의미로 해석된다.

So, Hwatu , 2023
©Estelle SO

So, Hwatu . 2023
©Estelle SO

So, Hwatu . 2023
©Estelle SO

So, Hwatu . 2023
©Estelle SO

6월 (모란, 목단)

6월을 상징하는 화투패로, 모란이 그려져 있다. 열끗 부분에는 모란을 향해 날아드는 나비 두 마리와 빨간 구름이 보인다. 띠 부분에는 파란 청단이 있고 2장의 피가 있다.

의미

모란은 화려하면서도 위엄과 품위를 갖춘 꽃으로, 동양에서는 꽃 중의 왕으로 여겨져 부귀화 혹은 화중왕이라고도 한다. 꽃말로는 부귀, 영화, 품격, 행복한 결혼 등이 있다. 한국의 전통화인 민화에서도 많은 복을 기원하는 꽃으로 그려진다. 나비는 영혼이나 지혜를 상징하는데, 민화에서는 좋은 소식을 전해 주는 전령으로 해석하기도 한다.

화투 점에서의 의미

6월의 패가 나오면 친구, 길조, 기쁨, 기쁜 소식, 행운, 길운, 좋은 일이 있다는 의미로 해석한다.

So, Hwatu . 2023
©Estelle SO

So, Hwatu . 2023
©Estelle SO

So, Hwatu . 2023
ⓒEstelle SO

So, Hwatu . 2023
ⒸEstelle SO

7월 (홍싸리, 싸리)

7월을 상징하는 화투패로, 싸리가 나온다. 4월에 있는 등나무가 흡사 싸리처럼 보여 흑싸리로 불리던 것과 구분을 두기 위해 홍싸리라고도 부른다. 열끗 부분에는 멧돼지가 그려져 있고, 띠 부분에는 빨간 초단이 나오며, 피는 2장이다.

의미

싸리는 7월과 8월에 붉은 꽃을 피우는 식물로, 싸리나무로 만든 빗자루는 부정한 기운을 떨치고 좋은 기운을 가져다준다고 한다. 또한, 행운과 재물을 쓸어다준다는 의미도 있다.

동양에서 돼지는 재물을 상징하기 때문에 돼지 꿈을 꾸면 돈이 들어올 일을 기대하거나 집안 가족이 임신한 경우에는 재운이 가득한 아이가 태어난다고 기대하기도 한다.

화투 점에서의 의미

이 패가 나오면 돈, 횡재, 행운, 재물 운 상승, 또는 재수 좋은 일이 생길 것으로 해석한다.

So, Hwatu . 2023
©Estelle SO

So, Hwatu . 2023
©Estelle SO

So, Hwatu . 2023
©Estelle SO

So, Hwatu . 2023
©Estelle SO

8월 (억새, 공산)

특징

8월을 상징하는 화투패로, 억새가 뒤덮인 들판이 나온다. 인쇄 과정에서 억새가 검게 표현되어서 한국인들에게는 아무도 없는 산이나 봉우리로 보여서 '공산'이라고 불린다. 8월 패의 광(光)은 '팔 광'으로 불리며, 억새가 보이는 들판 위로 둥근 보름달이 보이고, 열끗에는 기러기 세 마리가 날아간다. 피는 2장으로 이루어져 있다.

의미

가장 단순하면서도 눈에 띄는 디자인적 특징이 있어 화투 이모지(이모티콘)에 8월 '광' 패가 대표 모델로 등장한다. 8월을 대표하는 식물로는 억새가 나오고 원래는 들판을 가득 메우고 있지만, 한국의 디자인을 해치지 않기 위해 억새의 모습을 단순한 무늬로 넣었다.

화투 점에서의 의미

8월의 패가 나오면 달밤(야밤), 어둠, 저녁 외출을 나타내거나, 돈이 나가거나 들어오는 등 재정적인 변화, 혹은 운수의 변화를 나타내는 의미로 해석된다.

So, Hwatu . 2023
©Estelle SO

So, Hwatu . 2023
ⒸEstelle SO

So, Hwatu . 2023
©Estelle SO

So, Hwatu . 2023
©Estelle SO

9월 (국화)

특징

9월을 상징하는 패로 국화가 그려져 있다. 열끗에는 '무병장수'를 기원하는 술잔이 그려져 있으며, 국화주를 마시던 풍습에서 유래되었다. 민화투에서는 변동이 없지만, 고스톱 게임에서 이 열끗을 피로 사용하기로 규칙을 정하면 쌍피가 된다. 띠에는 파란 청단이 있고, 피는 두 장이다.

의미

국화는 9월의 꽃으로, 동아시아 지역에서 음력 9월 9일에 지내는 옛날 세시 중 하나인 중양절(重陽節)과 관련이 있다. 중양절을 중구절(重九節)이라고도 하는데, 양수(陽數)인 9가 겹치는 날이어서 길일로 여긴다고 한다. 이 날에는 단풍놀이를 즐기고 국화로 만든 술을 마시고, 화채나 토하젓 등을 만들어 먹는 풍습이 있었다고 한다.

국화는 청순, 평화, 고결, 장수, 진실, 안락한 삶, 풍요로움, 절개의 뜻을 담고 있다. 또한, 서리를 맞으면서 피는 국화는 한 해 마지막으로 피는 꽃으로도 알려져 있다. 동양에서는 국화를 고결하고 절개를 지키는 군자의 상징으로 여기기도 한다.

화투 점에서의 의미

이 패가 나오면 술자리나 술과 관련된 이벤트가 있거나 사람을 만날 일이 있을 것으로 해석된다.

무병장수

So, Hwatu , 2023
©Estelle SO.

So, Hwatu . 2023
©Estelle SO

So, Hwatu . 2023
©Estelle SO

10월 (단풍)

특징

10월을 나타내는 패로 단풍이 그려져 있다. 이 패는 '풍'이라고도 불린다. 열 곳에는 단풍나무를 바라보고 있는 사슴이 그려져 있으며, 띠에는 파란 청단과 피 2장으로 이루어져 있다.

의미

단풍은 가을에 나뭇잎이 붉거나 노랗게 물들어가는 아름다운 모습을 상징한다. 민화나 동양화에서의 사슴은 벼슬이나 장수, 우애를 뜻하며, 단풍나무는 대궐이나 조정의 안정을 의미한다.

화투 점에서의 의미

10월 패가 나오면 바람, 나쁜 일, 근심, 걱정, 풍파, 불안, 다툼과 같은 약간 부정적인 의미로 해석된다.

So, Hwatu , 2023
©Estelle SO.

So, Hwatu . 2023
©Estelle SO

So, Hwatu . 2023
©Estelle SO

So, Hwatu . 2023
©Estelle SO

11월 (오동)

특징

11월을 나타내는 패로 봉황과 오동나무가 그려져 있다. 이 패는 흔히 '똥'이라고 불리는데, 이는 '동'이 된소리화된 것이다. 오동에서 동을 세게 발음해서 그렇다고 한다. 광에는 봉황이 그려져 있으며, 이 패는 피가 3장인데 그 중에 빨간색이 더 가미된 피는 고스톱에서 쌍피로 계산된다.

다른 패들과 달리 11월과 12월의 식물은 그 계절을 나타내는 것이 아니다. 한국과 일본의 11월 패와 12월 패가 서로 바뀌어 있으며, 여기에서는 한국의 화투 순서로 소개한다.

의미

봉황은 상상의 새로, 고귀함과 상서로움, 수복강녕, 부귀, 화목의 상징으로 여겨진다. 봉황은 오동나무에만 머문다는 말이 있어서, 봉황과 오동나무는 함께 그려진다고 알려져 있다.

화투 점에서의 의미

11월 패가 나오면 돈, 재물로 해석된다. 금전이 오갈 일이 생길 것으로 보는데, 돈이 들어올 일이 생긴다는 의미로 해석하는 것이 대부분이다.

So, Hwatu . 2023
©Estelle SO

12월 (비, 버드나무)

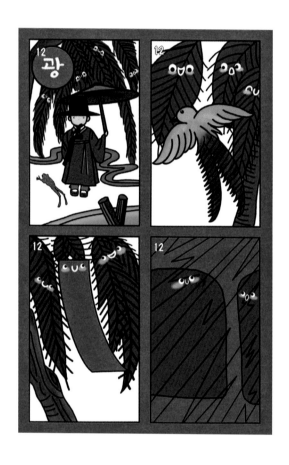

특징

12월 패에 나오는 식물은 버드나무이며, 유일하게 사람이 나오는 패이다. 광에는 사람과 개구리가 나오며, 이 패에는 우산이 등장하여 12월의 광을 '비광'이라고 부른다. 비광은 다른 광에 비해 낮은 취급을 받는다. 이는 열끗이나 띠에서도 마찬가지이다. 열끗에는 제비가 나오지만 '고도리'에 속하지 않으며, 띠에는 빨간 띠가 나오지만 이를 '초단'으로 쳐주지 않는다. 유일한 피는 '지옥문'이라 불리는 쌍피이다.

다른 패들과 달리 11월과 12월의 식물은 그 계절을 나타내는 것이 아니다. 한국과 일본의 11월 패와 12월 패가 서로 바뀌어 있으며, 여기에서는 한국의 화투 순서로 소개한다.

의미

개구리가 버드나무에 오르기 위해 노력하는 모습을 보고 일본의 유명 서예가가 노력의 중요성을 깨달았다는 설화가 원본이지만, 'So, Hwatu'에서는 학문에 정진하는 선비의 모습으로 재해석하여 표현하였다.

화투 점에서의 의미

12월 패가 나오면 손님, 소식, 친구, 슬픔, 외로움으로 해석하기도 하고, 비가 온다는 의미로 해석된다.

So, Hwatu . 2023
©Estelle SO

So, Hwatu . 2023
©Estelle SO

So, Hwatu . 2023
©Estelle SO

제4장

화투로 운세 보는 방법

보
는
방
법

화
투
점

1) 운세를 보고 싶은 날짜의 숫자만큼 화투패를 섞는다. 예를 들어, 7일이
면 7번을 섞고, 15일이면 15번을 섞는다. 한 해 운세를 보고 싶을 경우에
는 자신의 나이에 해당하는 숫자만큼 섞어서 화투 패를 준비한다.

2) 맨 윗줄부터 왼쪽에서 오른쪽으로 총 4장의 패를 뒷면이 보이도록 뒤집
어 4번째 줄까지 16장을 쌓는다. 그리고 5번째 줄에는 앞면이 보이도록
패 4개를 놓는다.

3) 그 후, 나머지 화투 더미에서 한 장씩 앞면이 보이도록 놓는다. 내려놓은
패와 위쪽에 앞면이 보이도록 놓은 패에서 같은 패끼리 짝을 맞춘다. 만
약 짝이 없으면 계속해서 새로운 패를 뒤집어 놓는다.

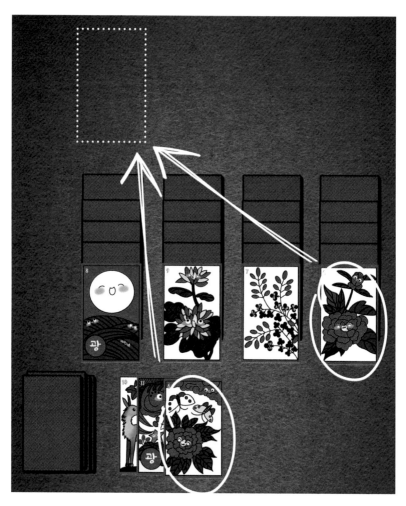

4) 패를 앞면이 보이도록 뒤집어서 내려놓다가 짝이 맞는 패를 찾으면 짝을
맞춰서 모아놓는다. 예를 들어 예시의 그림과 같이 모란(6월) 패가 짝을
이뤘으니 이 짝을 점선의 위치처럼 위에 놓는다.

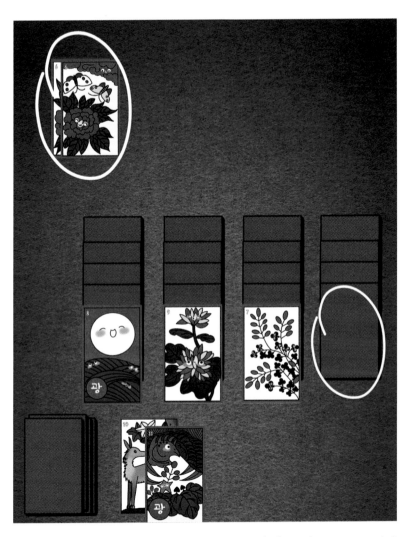

5) 짝이 맞은 화투패를 모아놓을 때는 맨 윗부분에 왼쪽부터 오른쪽으로 차례
대로 네 개의 뭉치로 놓는 것이 편리하다. 또한 6월 패를 뜻하는 모란 패가 짝
이 맞아서 위로 올리고 난 자리에 뒤집힌 패는 앞면이 보이도록 뒤집어준다.

6) 패를 올리고 다시 뒤집은 패에서 짝을 이루면, 앞서 올린 패 옆으로 차례
   대로 놓으면 된다.

7) 화투 더미에서 뒤집은 화투패는 맨 앞과 맨 뒤의 패만 사용할 수 있다. 이 중에 맨 앞과 맨 뒷면의 패가 짝을 이루거나 나란히 옆으로 놓인 패가 짝이 맞아도 맨 위쪽의 4개의 패 뭉치에 놓을 수 있다. 혹은 위쪽에 4줄로 놓인 자리에서 앞면이 보이는 화투패들과 짝을 맞출 수 있다.

⚜

105

8) 짝이 맞는 패를 올려놓고 난 후, 뒤집혀 있는 패는 앞면이 보이도록 뒤집는다. 맞는 짝이 나올 때까지 화투 더미에서 패를 하나씩 앞면이 보이도록 뒤집어 놓는다.

9) 이와 같은 방식으로 계속해서 화투패끼리 짝을 맞추어 네 개의 화투 더
미에 올려놓는다. 순서는 왼쪽부터 오른쪽으로 순서에 맞게 차례차례
짝이 맞는 패를 올려놓아야 한다.

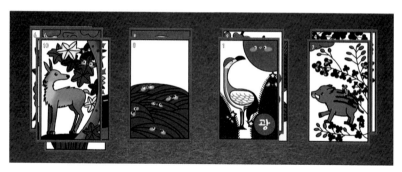

10) 패가 짝이 다 안 맞을 수도 있지만, 총 4개의 화투 더미만 남을 때까지 반복한다. 모든 패를 놓은 후에는 각 화투 더미 중에서 2개씩만 있는 화투패는 버리고, 한 더미 중에 4개의 화투패가 모두 있는 경우만 채택한다. 더미마다 체크해서 4개가 모두 있는 화투패 들이 자신의 운세가 된다.

화투패별 운세

화투 점에 나온

화투 점 보는 방법
영상보기

1월

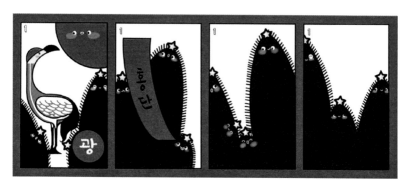

1월 화투 카드는 좋은 소식을 상징한다. 즉, 새로운 정보, 임신, 학업 성취 등 다양한 소식을 기대할 수 있다. 이 카드는 긍정적인 에너지와 함께 격려할 만한 소식을 가져올 것으로 보인다. 예를 들어, 새로운 직장을 얻거나 시험에 합격하거나, 임신이나 출산을 통해 새로운 가족 구성원이 생기거나, 진행 중인 프로젝트가 성공하는 일이 생길 수 있을 것으로 해석한다. 또한, 이 카드는 새로운 기회, 진행 중인 프로젝트의 진전, 가족 영역에서의 행복한 사건과 관련될 수도 있다.

1월 화투 카드는 당신이 현 상황을, 새해를 맞이하는 것처럼 긍정적이고 격려받는 분위기로 시작할 수 있다고 말해 주는 듯하다. 이러한 긍정적인 메시지를 활용하여 자신의 목표에 자신감을 가지고 나아가길 바란다.

2월

    2월 화투 카드는 로맨틱한 분위기나 인간관계가 풍부한 모습을 상징한다. 이는 연인이나 새로운 인연 등 다양한 형태의 새로운 만남을 의미한다. 이 카드들은 긍정적인 감정의 전달자로서, 애정 어린 교류와 낭만적인 경험을 위한 좋은 시기임을 나타내는데, 특히 사랑의 기운이 높아서 의미 있는 만남 혹은 연인과의 친밀한 순간을 기대해도 좋다고 말해주고 있다. 2월의 카드는 감정적인 성장의 기회를 제공하며 사랑하는 사람과 함께 할 특별한 순간을 암시하고 기존 관계의 행복한 발전을 의미하기도 한다.

    요약하자면, 2월 화투 카드는 사랑이나 인간관계가 중요한 요소로 나타날 수 있다는 것을 의미한다. 어쩌면 지금이 사람들과의 감정적인 연결을 강화하고, 지속적인 유대관계를 구축하며, 기억에 남는 경험을 쌓을 수 있는 좋은 시기라 할 수 있다. 이 기회를 통해 중요한 인간관계를 더욱 풍요롭게 만들어보길 바란다.

3월

　3월의 화투 카드는 야외 활동으로 가득한 풍경을 그리며 활기찬 모험을 암시한다. 여행, 산책, 외출 등 다양한 활동이 가능하다는 것을 상징한다. 여행은 무한한 지평을 상징하며, 새로운 풍경을 탐험하고 다양한 문화를 경험하여 세계관을 넓힐 수 있다. 산책이나 외출은 휴식과 성찰을 위한 활동으로, 조용한 공원을 산책하거나 단순히 한적하게 동네를 돌아다니며 평온한 시간을 즐길 수 있다.

　이 카드들은 야외 활동을 통해 긍정적인 에너지를 받아들이고, 단순한 즐거움을 누릴 것을 제안한다. 즉흥적인 짧은 여행이나 캠핑, 공원에서의 산책 등 야외에서 성취를 경험할 수 있는 기회가 있음을 암시하며, 지금이 야외 모험에 적합한 시기임을 시사한다.

　따라서 여행을 떠나거나 휴식을 취하는 산책, 사회적인 외출의 기회를 포착해 보시길 권한다. 이러한 기회를 통해 삶을 풍요롭게 만들고, 인간과 자연의 조화를 경험할 수 있을 것이다.

4월

    4월의 카드는 열정적인 데이트와 사랑의 연결과 같은 낭만적인 순간을 예고한다. 그러나 동시에 갈등, 소문, 분쟁, 우려 및 긴장과 같은 도전 과제를 나타내기도 한다. 카드가 긍정적인 면을 암시할 때는 낭만적인 관계와 파트너와의 즐거운 경험에 유리한 시기일 수 있다는 것을 강조한다. 감정적인 유대 관계를 강화하고 낭만적인 추억을 만들 기회가 주어질 수도 있다. 반면에, 갈등, 소문, 분쟁의 언급 등 부정적인 면을 암시할 수도 있으니, 경계심을 높여야 함을 의미하기도 한다. 이러한 요소는 극복해야 할 관계적 어려움이나 긴장을 나타낼 수 있다. 열린 의사소통, 오해 해결, 감정적 균형 유지를 권장한다. 또한 우려와 긴장으로 스트레스가 심해질 수 있으니, 이러한 상황에서는 한 걸음 물러서고 스트레스를 관리하는 것이 좋다.

    요약하자면, 4월의 카드는 낭만적인 긍정적인 측면과 관계적 어려움에 대한 잠재적인 경고의 부정적인 측면이 혼합되어 나타난다. 이는 균형 잡힌 태도로 현재 상황에 접근하는 것이 중요하다는 것을 강조한다. 즐거운 순간을 최대한 활용하고 잠재적인 장애물을 현명하게 해결할 준비를 하는 것이 좋을 것이다.

5월

    5월의 화투 카드는 역동적인 사회적 활동을 상징하며, 친구나 지인들과의 외출, 혹은 함께 식사를 나누는 기회가 있다고 이야기 한다. 다른 운세풀이에서는 5월의 카드를 '국수'로 해석하여 결혼운이 들어올 것으로 보기도 한다. 이 카드는 사회적 관계를 확장하고 의미 있는 유대 관계를 만들고 풍부한 사회적 행사에 참여할 수 있는 유리한 시기임을 나타낸다. 이 카드들은 즐거운 만남, 유익한 네트워킹 기회 또는 즐거운 축하로 해석하기도 한다.

    이 카드는 사회적 활동이 중심적인 역할을 할 수 있으며, 다른 사람들과 공유, 교환 및 연결의 순간이 있다고도 해석할 수 있다. 5월 카드는 지금이 사교적인 활동을 하기에 좋은 시기이며, 다른 사람들과의 상호 작용에서 균형 잡힌 태도를 유지하여 긍정적인 기회를 최대화할 필요가 있다는 것을 강조한다.

6월

6월 카드는 기쁜 일이 있을 거라는 것을 말해주는 기분 좋은 패이다. 이 카드들은 미래에 즐거움과 긍정적인 일들이 생길 것이라는 행복한 메시지를 전한다. 이 카드의 상징은 기쁨, 축하 등의 긍정적인 분위기를 나타낸다.

다시 말해, 즐거운 만남, 개인적인 성공 또는 중요한 업적을 축하할 수 있는 기회와 관련될 수 있다. 지금이 기쁨과 만족의 순간을 경험하기 직전이라고 말하는 듯 하다. 그러나 기쁨의 순간에서도 삶의 긍정적인 균형을 유지하기 위해 고려해야 할 요소가 있으므로, 세부 사항과 미묘한 차이점에 주의를 기울일 것을 조언한다. 긍정적인 태도를 취하고 주변의 징후에 주의를 기울이면 이러한 즐거운 사건의 이점을 극대화하고 일상 생활에서 조화로운 분위기를 조성할 수 있을 것이다.

7월

　7월의 화투 카드는 재정, 번영, 행운과 관련된 긍정적인 의미를 지닌다. 이 카드는 물질적인 영역에서 긍정적인 발전을 위한 유리한 시기를 나타낸다. 재정적 기회가 발생하거나 경제 상황이 개선될 가능성이 있고, 번영과 부의 가능성을 보여준다. 재정적 목표를 달성하거나 부를 축적할 수 있는 가능성을 강조하는 카드이다.

　이러한 긍정적인 영향을 극대화하기 위해서는 선택 사항을 인지하고 정보에 근거한 결정을 내리는 것이 중요하다는 것을 명심해야 한다. 자원을 신중하게 관리하고 기회를 인식하는 것이 핵심이다. 이러한 긍정적인 재정적인 에너지를 수용함으로써 경제 성장과 물질적인 욕망을 실현할 수 있는 조성할 수 있다고 해석된다.

8월

　8월의 카드는 달밤이라는 이미지로 해석되며, 저녁 외출이나 돈이 들어올 가능성을 시사한다. 이 카드는 달빛의 부드러운 빛이 당신의 길을 밝힐 수 있음을 보여주며, 또한 저녁 약속이나 사회적 활동을 의미하기도 한다. 뿐만 아니라, 이 카드는 직업 기회나 예상치 못한 재정적 이익을 통해 돈이 흐를 수 있는 가능성을 나타낸다. 이 카드의 메시지는 풍부한 사회적 활동과 현명한 재정 관리 사이의 균형을 유지하라는 것이다. 이를 통해 이 카드가 상징하는 이점을 극대화하고 조화롭고 번영하는 미래를 구축할 수 있다.

　요약하자면, 8월의 화투 카드는 저녁 외출이나 재정 유입의 가능성을 보여준다. 풍부한 사회적 활동과 현명한 재정 관리를 조화롭게 이루어가면, 이 카드의 긍정적인 메시지를 극대화할 수 있을 것이다.

9월

   9월의 카드는 술과 음료수를 상징하며, 사교적인 만남, 축하, 활기찬 순간을 촉진하는 분위기를 떠올리게 한다. 이 카드는 술이나 음식들을 둘러싼 축제나 이벤트를 가질 기회가 있음을 나타내고 있다. 이 카드들은 사회적인 행사에 참여하는 것으로 해석될 수도 있다. 혹은 비공식적인 만남, 파티, 술이 중심이 될 수 있는 축하 행사를 통해 사회적 유대관계가 강화될 것을 시사한다.

   요약하자면, 9월의 카드는 사람들과 함께 모여 즐거운 추억을 만들고 사회적 유대관계를 강화할 수 있는 기회가 주어질 것임을 이야기 해준다.

10월

　10월의 카드는 장애를 극복하거나 도전해야 할 시기 등 긴장해야 할 순간을 상징한다. 이 카드는 예상치 못한 상황으로 인해 일상이 방해받는 분위기를 떠올리게 한다. 걱정, 불안, 갈등과 관련된 부정적인 경향을 나타낼 수 있으므로, 민감한 상황에 신중한 대처가 필요함을 강조한다.

　그러나 이러한 카드들이 부정적인 측면을 가리킨다고 해도, 개인적인 성장의 기회를 제공한다는 점을 기억해야 한다. 인내와 지혜를 발휘하면 현재의 도전을 극복할 수 있고, 그로 인해 자신을 더 깊이 이해하고 갈등을 효과적으로 해결할 수 있다. 이 도전적인 순간에서 당당하게 버티고 긍정적인 해결책을 찾는 것이 중요하다. 정보에 기반한 결정을 내리고 인내를 발휘한다면, 어려운 시기를 성공적으로 극복하고 이를 통해 더욱 강해질 수 있다.

　즉, 10월의 카드는 예상치 못한 상황이나 어려움을 경험할 수 있으며, 그로 인해 변화와 개인적인 성장을 경험할 수 있다는 메시지를 함축적으로 전달한다.

11월

　11월의 카드는 물질적 풍요에 대한 긍정적인 전망을 보여준다. 이 카드들은 돈, 재정적 이익, 수입과 같은 재정적인 측면에 대한 집중을 강조하는 길조의 징조로 나타난다. 재정적 기회가 나타날 수 있는 유리한 시기이며, 이런 기회는 새로운 유망한 프로젝트, 현명한 투자, 또는 기존 수입의 개선을 통해 나타날 수 있다. 예를 들면, 새로운 사업이나 프로젝트를 시작하는데 좋은 기회가 될 수 있다. 투자 수익이 증가하거나 직장에서 승진하거나 뜻밖의 수입이 들어오는 등의 소식이 있을 수 있다.

12월

    12월의 카드는 다양한 가능성을 시사한다. 따뜻하고 의미있는 순간, 새로운 기회, 그리고 의미 있는 새로운 관계 형성 등을 기대할 수 있다고 해석되는 카드이다. 하지만, 우울함과 도전적인 소식을 상징하는 '비'로 해석할 수도 있으므로 주의가 필요하다. 이 카드는 손님이 도착하거나 새로운 지인과 만날 때와 같이 사교적인 모임과 축하의 의미를 가진다. 개인적이거나 직업적인 관점에서는 새로운 프로젝트를 고려하기에 좋은 시기일 수도 있다. 또한 사회적 관계를 넓히고 의미 있는 관계를 형성할 수 있는 가능성을 시사한다. 부정적인 측면에서는 이 카드가 일시적인 어려움을 상징할 수도 있지만, 그 반대로 개인적인 성장의 기간이 찾아왔음을 알려주는 것일 수도 있다. 비가 땅을 비옥하게 만드는 것처럼, 힘든 순간을 극복함으로써 내면이 성장할 수 있기 때문이다.

    12월 카드는 다양한 가능성과 새로운 시작을 기대할 수 있는 시기임을 보여준다. 이러한 긍정적인 에너지와 마음가짐으로, 적극적으로 기회를 탐색하고 소중한 관계를 형성하며 성장해 나갈 수 있는 시간을 만들어보길 바란다.

제5장

고스톱 게임하는 방법

고 스 톱 (Go-Stop)

고스톱은 대한민국에서 흔히 즐기는 화투를 이용한 놀이 중 가장 잘 알려진 게임이다. 3명이 하는 고스톱은 한국에서 가장 일반적인 방식이지만, 2명 또는 4명도 가능하다. 하지만 4명이 하는 경우 탈락 방식을 사용하게 되어 패가 좋지 않은 한 명은 게임을 시작하면서 빠지게 되므로 실질적으로는 3명만 참여할 수 있다. 3명이 할 때는 일반적으로 3점 이상을 먼저 얻은 사람이 승리하며, 2명으로 하는 경우에는 7점 이상을 먼저 얻는 사람이 승리한다.

2명이 게임을 할 경우는 '맞고'라고도 불린다. 맞고는 2명이 하는 고스톱 게임의 변형으로, 기본적인 규칙은 같지만 몇 가지 차이점이 있다. 여기서는 3명이서 하는 게임을 기본으로 설명한다.

고스톱 기본규칙

3명이 고스톱(Go-Stop)을 할 경우

고스톱의 규칙은 지역이나 참여하는 사람들에 따라 다를 뿐만 아니라, 온라인 게임에서도 다양한 변형이 존재한다. 여기에서는 한국에서 일반적으로 하는 게임에 따르는 규칙을 설명한다.

1) 선을 정하는 방법

먼저 시작할 사람인 '선'을 정한다. 선은 게임을 할 때 가장 먼저 플레이를 하기도 하고, 화투패를 나누어주는 역할을 한다. 선을 정하는 방법은 간단하다.

- 게임을 처음 시작할 때는 패를 한 장씩 뒤집어서 가장 높은 숫자의 패를 뽑은 사람이 선이 된다.

- 그 다음 게임부터는 그 전 게임에서 승리한 사람이 '선'이 된다.
- 게임은 항상 선부터 시작하며 시계 반대 방향으로 순서가 돌면서 게임을 진행한다.

2) 패를 돌리는 방법

패는 어떤 방법으로 돌려도 상관이 없지만, 일반적으로 다음과 같은 방법을 사용한다

- 선이 패를 섞는다. 선의 왼쪽에 앉은 사람 (게임 순서상 마지막 순서의 플레이어) 에게 패의 일정량을 덜어내게 한다
- 가른 패의 더미는 바닥에 내려놓는다.
- 선이 들고 있는 화투패에서 반 시계 방향으로 플레이어들에게 앞면이 보이지 않도록 4장씩 돌린다.
- 바닥에 앞면이 보이도록 3장을 내려놓는다.
- 다시 반 시계 방향으로 순서대로 플레이어에게 3장씩 돌린다.
- 그 후 바닥에 3장을 앞면이 보이도록 깐다.
- 만약에 손에 들고 있던 패가 모자라면, 처음에 일정량을 덜어내서 바닥에 놓았던 화투더미에서 모자란 만큼의 화투패를 가져와서 사용한다.
- 만약에 손에 있던 패가 남는 경우는 바닥에 놓은 화투더미의 패와 섞어놓는다.
- 만약 '통(옆사람이 패를 가르지 않는 경우)'인 경우, 플레이어들에게 7장씩 뒷면이 보이도록 한꺼번에 나누어주고, 바닥에도 6장을 앞면이 보이도록 한꺼번에 놓는다.

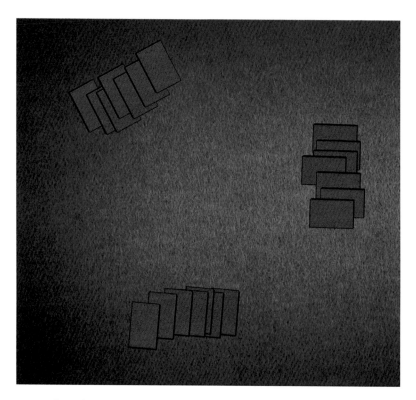

3) 패를 나누는 방법

어떤 방식으로 진행해도 상관없지만, 위 그림의 예시는 퉁인 경우에 패를 놓는 경우를 설명한다.

- 선의 시계 반대방향에 있는 사람, 즉 오른쪽 플레이어를 시작으로 모두에게 뒷면이 보이도록 7장을 나누어준다.

4) 그 후 6장을, 패의 앞면이 보이게 바닥에 내려놓는다. (이때 조커나 보너스 패가 나오면 먼저 시작하는 사람인 '선'이 가져가고, 바닥에는 6장이 되도록 화투더미에서 패를 꺼내서 깔아야 한다.)

5) 나머지 화투패 더미를 가운데 놓는다.

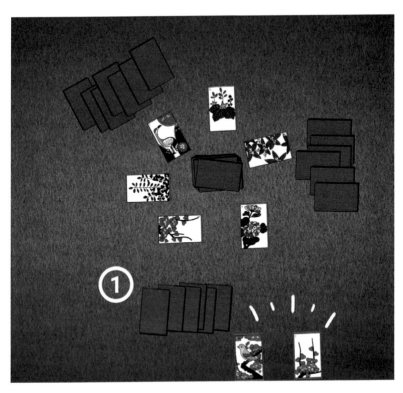

6) 선부터 시작해서 시계 반대 방향으로, 본인의 순서가 오면 본인이
가진 패와 바닥에 깔린 패를 비교해서 같은 패가 있으면 가져온다.
그 후 가운데 화투패 더미에서 한장을 뒤집어서 바닥에 있는 화투
패와 짝이 맞는 것이 있으면 가져오고, 짝이 없다면 바닥에 놓는다.

7) 본인의 순서가 마무리가 되면 선의 오른쪽에 있는, 시계 반대방향
의 사람의 순서로 게임을 지속한다.

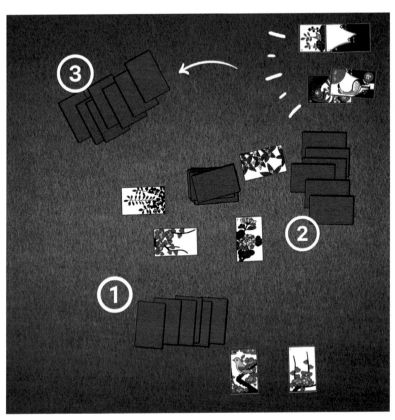

8) 짝이 맞는 필요한 패가 없다면, 가장 불리한 패를 내려놓고 가운데 화투패 더미에서 한 장을 뒤집는다. 바닥에 있는 패와 짝이 맞으면 가져오고, 없으면 바닥에 내려놓고 다음 순서로 넘어가며 게임을 진행한다.

9) 먼저 3점이 딴 사람이 이긴다. 이때 점수를 더 얻기 위해 게임을 계속 진행(고, Go)할지, 다른 사람이 점수를 획득하는것을 방지하기 위해 그만(스톱, Stop)을 해야할지 결정한다.

10) 이긴 사람이 다음 게임에서 '선'이 된다. 그리고 이전 점수와 상관없이 선부터 시작해서 시계 반대 방향으로 순서가 진행된다.

2명이 고스톱(Go-Stop)을 할 경우

2명이서 게임을 할 경우는 '맞고'라고 하며, 각각 10장씩의 화투패를 받고, 바닥에는 8장을 깐다. 또한 한 명이 7점을 얻어야 승리한다.

점
수
계
산

고　점
스　수
톱　계
의　산

점수 계산을 위해서는 화투패의 종류를 알아야 한다.

화투패의 구성과 특징, 그리고 종류별로 분류된 점수 계산법은 이미 2장에서 다루었으므로 해당 페이지도 참고하면 좋다.

광

- 광 3장은 3점이지만, 여기에 12월의 '비광'이 포함된 경우는 2점이다. 즉, 비광을 제외한 광 3장이 모여야 3점을 얻을 수 있다.

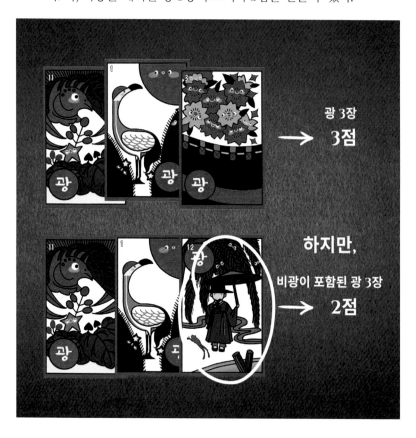

- 광 4장이면 비광(12월의 카드) 여부와 상관없이 4점이다.
- 5장의 광패가 모이면 특별히 15점이 된다.

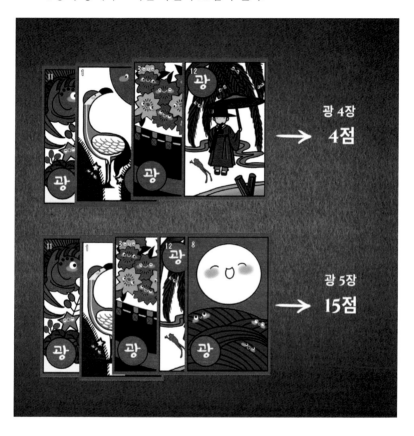

열끗

- 열끗은 5장을 모으면 1점이 되며, 이후 추가로 1장씩 모을 때마다 1점씩 늘어난다. 열끗이 7장 이상이 되면 점수 계산 시 최종 점수의 두 배로 계산된다.

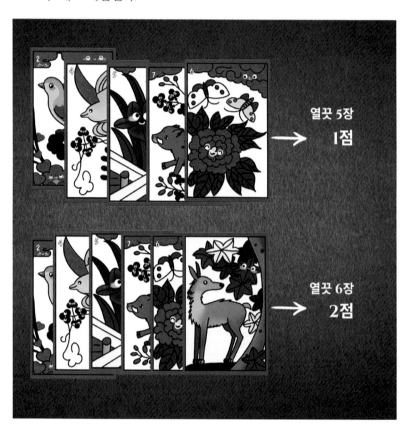

- 열끗 중에 2월, 4월, 8월의 새 모양의 카드가 들어가 있는 3장의 패를 모으면 '고도리'라고 하며 5점이다.
  (12월에 있는 카드에도 제비라는 새모양의 카드가 있지만, '고도리'에 포함되지 않는다.)
- 예를 들어, 총 6장의 열끗 패를 모으면 2점이지만, 이 6장의 패 중에 고도리 3장이 포함되면 5점이 추가되어 총 7점이 된다.

띠

- 띠는 종류에 상관없이 5장을 모으면 1점이며, 이후 추가로 1장씩 모을 때마다 1점씩 늘어난다.

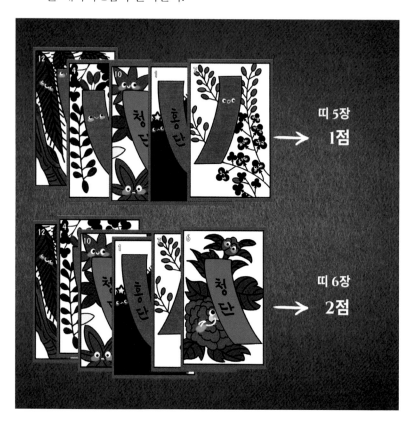

- 또한, 같은 종류의 청단, 홍단, 초단을 3장 모으면 3점이 된다.

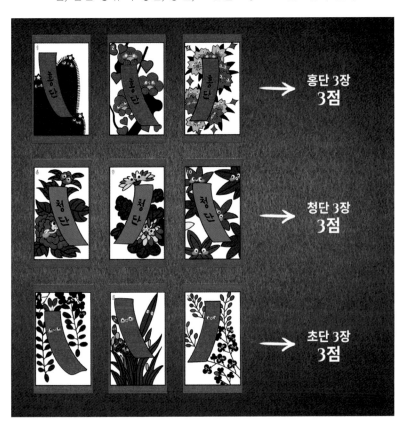

- 단, 12월에 있는 띠는 초단이 아니기 때문에 띠 점수로만 계산한다.

피

- 피는 기본패로서 10장을 모으면 1점이 되며, 이후 1장 추가될 때마다 1점씩 늘어난다.

예시:

만약 피와 쌍피, 조커 카드를 다음과 같이 가지고 있다면 몇점?
(조커카드는 규칙에 따라 사용을 할 수도 있고 하지 않을 수도 있는데, 대부분 피 2장 혹은 3장으로 취급, 일반적으로는 쌍피처럼 사용하기 때문에 여기서도 쌍피의 가치로 계산)

조커

피

쌍피

패를 모두 합하면 피 몇장? 총 13장
그래서, 총 4점

쌍피

- 쌍피는 피 2장 역할을 한다.

조커

- 조커는 게임 시작전 규칙에 따라 대부분 특별한 피처럼 취급되어 피 2장 혹은 3장의 역할을 한다.

＊
＊
＊

계산법
고 (Go) 를 외쳤을 때

3점 이상 점수가 난 사람은 고 (Go) 혹은 스톱 (Stop)을 선택할 수 있다. 고(Go)를 선택하면 게임이 계속 진행되지만, 스톱 (Stop)을 선택하면 게임이 반드시 종료된다.

- 1고 : 최종 점수에 1점이 추가된다.
  예를 들어, 3점으로 시작하여 "고"를 외쳤을 때, 다음에 본인의 차례가 왔을 때 추가로 1점을 얻었다면, 총 점수는 3점(기본) + 1점(추가) + 1점("고" 한 번)으로 총 5점이 된다.
- 2고 : 최종 점수에 2점이 추가된다.
- 3고 : 점수에 2를 곱한 값이 최종 점수가 된다.
- 4고 : 점수에 4를 곱한 값이 최종 점수가 된다.

＊

"고"를 외친 뒤 게임을 진행하고 다시 본인의 차례가 되었을 때, 단 1점이라도 점수가 높아져야 다시 "고" 혹은 "스톱"을 외칠 수 있다.

만약 "고"를 외친 사람이 아닌 다른 사람이 3점이 되어 점수를 획득하면, 처음에 "고"를 외친 사람은 "고박"을 당하게 되어 점수의 2배를 잃게 된다.

고스톱의

특별한 규칙

❧
❧
❧

피박

이긴 사람의 점수에 피 패로 얻은 점수가 있다면, 피 패가 5장 이하인 사람은 "피박"되어 이긴 사람의 점수를 두 배로 계산한다. 하지만, 만약 피 패가 한 장도 없는 사람은 피박 대상이 아니다.

광박

이긴 사람이 광 패로 점수를 얻었을 경우, 광 패를 한 장도 얻지 못한 사람은 "광박"되어 이긴 사람의 점수를 두 배로 계산해야 한다. 하지만, 광 패를 하나라도 가진 사람은 광박 대상이 아니다.

❧

고박

"고"를 선언한 후 다른 사람이 3점이 되어 점수를 획득하면, 처음에 "고"를 외친 사람은 "고박"을 당하게 되어 점수의 2배를 잃게 된다. 둘이서 하는 맞고의 경우, 해당사항이 없다.

흔들기

손에 들고 있는 패 중에 같은 패가 3개가 있는 경우, '흔들기'를 외친다. '흔들기'를 외친 사람이 승리할 경우에는 점수를 두 배로 계산한다.

폭탄

'흔들기'처럼 자신이 손에 들고 있는 패 중에 같은 패가 3개가 있는 경우에 사용할 수 있다. 흔들기라고 말하지 않은 상태에서 바닥에 나머지 1장이 있으면 3장을 한꺼번에 내며 '폭탄'이라 외친다. 이 경우 다른 사람에게 피 한 장씩을 받는다.

만약 이미 '흔들기'를 외친 경우에는 '폭탄'을 외칠 수 없다. '폭탄'으로 세 장의 피를 한꺼번에 낸 경우는 패가 다른 플레이어에 비해 모자라므로 본인 차례가 왔을 때 낼 패가 없으면 2회에 한하여 더미에서 패를 뒤집기만 하면 된다.

쪽

바닥에 있는 패 중에서 자신의 손에 있는 패와 짝이 맞지 않아서 임의로 패를 냈는데, 더미에서 뒤집은 패가 자신이 낸 패와 짝이 맞는 경우를 '쪽'이라고 한다. 이 때, 다른 사람들에게 피 한 장씩을 가져올 수 있다. 만약 상대방이 피가 없다면 가져오지 못하며, 만약 피가 없고 쌍피만 있다면 쌍피를 가져올 수 있다.

따닥

바닥에 똑같은 패가 두 장이 깔려있고, 자기 손에도 한 장이 있을 경우, 바닥의 두 장의 패 중에 하나를 선택해서 그것을 먹고 더미에서 하나를 뒤집었을 때 이 또한 같은 패여서 결과적으로 똑같은 패 4장을 가져오게 될 경우에 '따닥'이라고 한다. 이때 다른 사람들에게 피를 한장씩 가져온다.

뻑(쌌다)

　바닥에 있는 패를 가져오려고 자신의 손에 있는 패를 냈는데, 더미에서
뒤집은 패가 같은 패일 경우, 즉 패 3개가 겹치는 경우를 말한다. '뻑' 혹
은 '쌌다'고 하고 가져오지 못한다. 차후, 이 세 장의 패를 가져가는 사람
에게는 피 한 장씩을 준다. 또한, 한 게임에서 한 사람이 뻑을 세 번 하게
되면 3점을 한 것으로 간주되어 '고' 나 '스톱'을 선택할 수 있다.

싹쓸이

본인의 차례에, 더미를 제외하고 바닥에 있는 패를 모두 가져오게 될 경우를 말한다. 이때 다른 사람들에게 피를 한 장씩 받는다.

총통

'총통'은 본인이 받은 7장의 패 중에서 같은 짝패가 4장이 들어있는 경우이다. 이 때는 자동으로 승리가 되고 점수는 20점으로 계산된다.

이 외에도 다양한 규칙들이 있으나, 지역별로 상이하기도 하고 너무 복잡하여 가장 많이 알려져있는 규칙들만 정리했다.

제6장

민화투 게임하는 방법

민
화
투

민화투는 화투를 이용한 게임 중 하나로, 고스톱과는 달리 중간에 경기를 중단하지 않고 패가 모두 떨어질 때까지 진행한다. 복잡한 규칙이 없어서 즐기기가 편리하다. 이 게임은 일반적으로 2~4명이 참여하며, 6명까지도 참여할 수 있다.

⚜
⚜
⚜

기
본
규
칙

민
화
투
의

한국에서 일반적으로 통용되는 민화투의 규칙을 설명한다.

1) 이 게임은 일반적으로 조커(보너스) 패를 제외하고 48장으로만 진
   행되며, 게임을 중간에 멈추지 않고 모든 패를 다 사용할 때까지 진
   행한다.

2) 참여하는 사람의 수에 따라 패를 나누는 방법은 다음과 같다.
- 2명일 경우, 화투패를 각자 10장을 갖고 바닥에는 8장을 깐다.
- 3명일 경우, 화투패를 각자 7장을 갖고 바닥에는 6장을 깐다.
- 4명일 경우, 화투패를 각자 5장을 갖고 바닥에는 8장을 깐다.
- 5명일 경우, 화투패를 각자 4장을 갖고 바닥에는 8장을 깐다.

⚜

- 6명일 경우, 화투패를 각자 3장을 갖고 바닥에는 12장을 깐다.

3) 먼저 시작할 사람인 '선'을 정한다. 선은 게임을 할 때 가장 먼저 플레이를 하기도 하지만, 화투패를 나누어주는 역할을 한다. 선을 정하는 방법은 간단하다.

- 게임을 처음 시작할 때는, 패를 한 장씩 뒤집어서 가장 높은 숫자의 패를 뽑은 사람이 선이 된다.

- 그 다음 게임부터는 그 전 게임에서 승리한 사람이 ' 선'이 된다.

<3명이 민화투 게임을 할 경우>

가장 높은 숫자이기에 선이 된다

4) 패를 돌릴 때, 예를 들어 3명이 민화투를 칠 경우에

　① 선의 반시계 방향에 있는 사람부터 4장씩 나누어준다.

　② 바닥에 3장을 깐다.

　③ 다시 아까의 방식대로 각자에게 3장씩 나누어주고

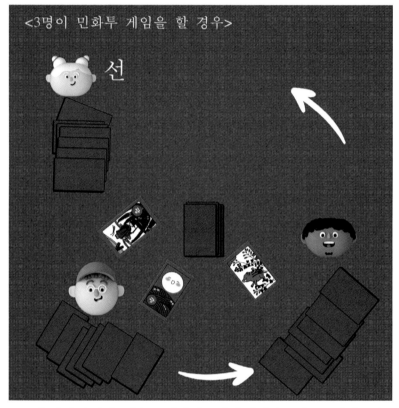

<3명이 민화투 게임을 할 경우>

　④ 바닥에 다시 3장을 놓아서, 총 6장이 앞면이 보이도록 깔아준다.

5) 게임은 항상 선부터 시작하며 시계 반대 방향으로 순서가 돌면서 게임을 진행한다. 즉, 선이 먼저 시작하고, 선의 오른쪽 사람이 그 다음으로, 선의 왼쪽에 있는 사람이 자동으로 마지막 플레이어가 된다.

6) 고스톱과 마찬가지로 본인이 가진 패에서 바닥에 놓여진 패와 맞는 월에 해당하는 패를 낸다. 만약에 맞는 패가 없는 경우는 임의의 패를 낸다. 더미에 있는 패를 뒤집어서 바닥패에 짝이 맞는 패가 있으면 가져오고, 아니면 바닥에 놓는다. 짝이 맞는 패만 가져온다.

7) 모든 인원이 들고 있던 패와 바닥에 있는 패를 모두 사용하면 게임이 끝이 난다.

8) 가장 높은 점수를 얻은 사람이 승리한다.

점수계산

민화투의

점수 계산을 위해서는 화투패의 종류를 알아야 한다.

화투패의 구성과 특징, 종류별 분류에 점수 계산법에 대한 내용은 이미 2장에서도 다루었으니, 해당 페이지도 참고하기 바란다.

민화투의 점수계산은 고스톱과는 다르다. 고스톱에서는 피나 쌍피, 보너스 카드가 점수에서 중요한데, 민화투에서는 위에 언급된 패들은 점수가 없다. 대신 민화투에만 있는 '약'이라는 점수가 있어서 보너스 점수를 얻을 수 있다.

광

- 장당 20점

열끗

- 장당 10점

띠

- 장당 5점

피, 쌍피

- 피와 쌍피는 점수가 없다.

홍단, 청단, 초단

- 30점

홍단, 청단, 초단에 해당하는 띠를 각각 3장을 모으면 30점으로 계산한다. 게임이 끝난 뒤 다른 사람들에게 30점에 해당하는 패를 받아서 자신의 점수를 내는 방식이다.

- 홍단

- 청단

- 초단

- * 12월에 있는 띠는 생김새가 초단과 같지만, 초단이 아니라 여기에 포함되지 않는다.

약 (초약, 풍약, 비약)

- 20점

5월과 10월, 그리고 12월에 해당하는 4장의 모든 패를 모으면, 초약, 풍약, 비약이라고 하여 점수를 받는다.

이 역시 각각 다른 플레이어에게 20점에 해당하는 패를 받아서 자신의 점수로 계산한다.

- 초약

- 풍약

- 비약

마치며

처음에는 기존의 화투를 한국적으로 재해석하면서 저만의 스타일을 넣어 작업한 화투 이미지를 소개하는 것에 만족하려 했습니다. 하지만 한국인들에게 친숙한 화투임에도 불구하고 화투의 시작이나 의미, 게임 규칙을 모르는 사람들이 많다는 사실을 알게 되어 화투에 대한 설명, 점수 계산법과 게임 규칙을 포함하게 되었습니다. 한때 화투가 도박과 연결되어 부정적으로 여겨지기도 했지만, 화투의 역사와 그것이 어떻게 변천해 왔는지를 이해하고 규칙을 배움으로써 화투를 건전한 생활놀이 문화로서 인식하고 유지했으면 하는 바람으로 화투에 대한 책을 쓰게 되었습니다.

또한, 한류열풍으로 인해 외국인들에게도 화투가 한국의 놀이문화로 인식되기 시작한 이 시점에 이 책이 필요하다고 생각했습니다. 앞으로도 부족한 부분은 지속해서 보완하고 수정해서 '한국적인 화투'로 발전시킬 생각입니다. '화투'가 다른 나라의 문화와 한국의 문화가 융합된 좋은 본보기가 되어 한국의 다양한 가치와 문화를 널리 알리는데 하나의 건전한 문화 요소가 되기를 바랍니다. 이 책을 통해 화투가 누군가에게 재미있는 놀이문화의 하나로 인식이 되고 유쾌한 추억이 되기를 바랍니다.

한국의 화투를 소개하고자 하는 마음에서 내린 결정에, 관심을 가져주신 모든 분께 깊은 감사의 마음을 전합니다.

⚜

So, Hwatu

에스텔 소 (Estelle SO)
estelleso.art@gmail.com
한국 전통과 문화를 활용하여 다양한 시대와 문화적 이야기를
시각적으로 담아내는 비주얼 아티스트

- estelleso.com/
- linktr.ee/EstelleSO
- www.instagram.com/estelleso.art/
- twitter.com/estelleso_art/